L'ARC-EN-CIEL DE VINCENT / VINCENT'S RAINBOW

Learn Colors in French and English with Van Gogh

by Oui Love Books

ODÉON LIVRE
CHICAGO
2018

odeonlivre.com

A Note on Colors

In French, an adjective's spelling is influenced by its corresponding subject. "Green" will always be "green" in English; in French, however, "vert" can also be "verte" and "vertes". The "e" is added when the subject is feminine, the "es" when both plural and feminine, and simply "s" when plural and masculine.

A color whose name ends with "e" (jaune, rose, rouge) is unaffected by the gender of a subject. The addition of an "s" still applies should the subject be plural.

Red are the cows.
Yellow is the sky.
Green is the grass.

Rouges sont les vaches.
Jaune est le ciel.
Verte est l'herbe.

The Cows / Les Vaches

red	rouge		the cows	les vaches

yellow	jaune		the sky	le ciel

green	vert		the grass	l'herbe

Blue is the jacket.
Blue is the wall.
Blue are the flowers.
Red is the table.
Green are the leaves.

Bleue est la veste.
Bleu est le mur.
Bleues sont les fleurs.
Rouge est la table.
Vertes sont les feuilles.

Portrait of Dr. Gachet II / Portrait du docteur Gachet avec branche de digitale II

blue	bleu	the jacket	la veste
		the wall	le mur
		the flowers	les fleurs

| red | rouge | the table | la table |

| green | vert | the leaves | les feuilles |

Yellow are the boats.	Jaunes sont les bateaux.
Yellow is the sand.	Jaune est le sable.
Green are the boats.	Verts sont les bateaux.
Blue is the sky.	Bleu est le ciel.
Blue is the water.	Bleue est l'eau.
Red are the boats.	Rouges sont les bateaux.

Fishing Boats on the Beach at Saintes-Maries / Bateaux de pêche sur la plage

yellow	jaune	the boats the sand	les bateaux le sable	
green	vert	the boats	les bateaux	
blue	bleu	the sky the water	le ciel l'eau	
red	rouge	the boats	les bateaux	

Red are the apples.
Green is the pear.
Yellow are the lemons.
Purple are the grapes.

Rouges sont les pommes.
Vertes sont les poires.
Jaunes sont les citrons.
Violets sont les raisins.

Grapes, Lemons, Pears, and Apples / Nature morte avec pommes, poires, citrons et raisins

red	rouge	the apples	les pommes	
green	vert	the pears	les poires	
yellow	jaune	the lemons	les citrons	
purple	violet	the grapes	les raisins	

Green is the grass.　　Verte est l'herbe.
Green are the leaves.　Vertes sont les feuilles.
Brown is the ground.　Brun est le sol.
Blue are the flowers.　Bleues sont les fleurs.

Irises / Irises

green	vert	the grass the leaves	l'herbe les feuilles
brown	brun	the ground	le sol
blue	bleu	the flowers	les fleurs

Orange are the grapes.
Yellow is the river.
Yellow is the sky.
Green are the trees.
Blue is the river.

Oranges sont les raisins.
Jaune est le fleuve.
Jaune est le ciel.
Verts sont les arbres.
Bleu est le fleuve.

The Red Vineyard / La Vigne rouge

orange	orange	the grapes	les raisins	
yellow	jaune	the river the sky	le fleuve le ciel	
green	vert	the trees	les arbres	
blue	bleu	the river	le fleuve	

Yellow is the grass.
Purple is the rain.
Purple are the houses.
Purple is the sky.
Green are the trees.

Jaune est l'herbe.
Violette est la pluie.
Violettes sont les maisons.
Violet est le ciel.
Verts sont les arbres.

Landscape at Auvers in the Rain / Paysage d'Auvers sous la pluie

yellow	jaune	the grass	l'herbe	
purple	violet	the rain the houses the sky	la pluie les maisons le ciel	
green	vert	the trees	les arbres	

Green are the leaves.
Blue is the sky.
Yellow is the grass.

Vertes sont les feuilles.
Bleu est le ciel.
Jaune est l'herbe.

Olive Trees / Champ d'oliviers

green	vert		the leaves	les feuilles
blue	bleu		the sky	le ciel
yellow	jaune		the grass	l'herbe

Blue is the wall.
Green are the branches.
White are the flowers.

Bleu est le mur.
Vertes sont les branches.
Blanches sont les fleurs.

Almond Blossoms / Amandier en fleurs

blue	bleu		the wall	le mur
green	vert		the branches	les branches
white	blanc		the flowers	les fleurs

Green is the floor.
Yellow are the pillows.
Yellow are the chairs.
Yellow is the window.
Blue are the walls.
Red is the blanket.
Red is the bed.
Red is the table.

Vert est le plancher.
Jaunes sont les coussins.
Jaunes sont les chaises.
Jaune est la fenêtre.
Bleus sont les murs.
Rouge est la couverture.
Rouge est le lit.
Rouge est la table.

Bedroom in Arles / La Chambre à Arles II

green	vert	the floor	le plancher

yellow	jaune	the pillows	les coussins
		the chairs	les chaises
		the window	la fenêtre

blue	bleu	the walls	les murs

red	rouge	the blanket	la couverture
		the bed	le lit
		the table	la table

Blue is the sky.
Blue are the hills.
Yellow are the stars.
Yellow is the Moon.
Yellow are the windows.
Green are the trees.

Bleu est le ciel.
Bleues sont les collines.
Jaunes sont les étoiles.
Jaune est la Lune.
Jaunes sont les fenêtres.
Verts sont les arbres.

The Starry Night / La Nuit étoilée

| blue | bleu | the sky | le ciel |
| | | the hills | les collines |

yellow	jaune	the stars	les étoiles
		the Moon	la Lune
		the windows	les fenêtres

| green | vert | the trees | les arbres |

Yellow are the flowers.
Yellow is the vase.
Yellow is the table.
Yellow is the wall.
Green are the stems.
Green are the leaves.

Jaunes sont les fleurs.
Jaune est le vase.
Jaune est la table.
Jaune est le mur.
Vertes sont les tiges.
Vertes sont les feuilles.

Sunflowers / Les Tournesols

yellow | jaune

the flowers | les fleurs
the vase | le vase
the table | la table
the wall | le mur

green | vert

the stems | les tiges
the leaves | les feuilles

Yellow is the sun.	Jaune est le soleil.
Yellow is the sky.	Jaune est le ciel.
Yellow is the ground.	Jaune est le sol.
Blue are the flowers.	Bleues sont les fleurs.
Blue is the house.	Bleue est la maison.
Blue are the trees.	Bleus sont les arbres.
Orange is the person.	Orange est la personne.
Orange are the flowers.	Oranges sont les fleurs.
Orange is the wheat.	Orange est le blé.
Green are the leaves.	Vertes sont les feuilles.

The Sower at Sunset / Le semeur au soleil couchant

yellow	jaune	the sun	le soleil	
		the sky	le ciel	
		the ground	le sol	

blue	bleu	the flowers	les fleurs	
		the house	la maison	
		the trees	les arbres	

orange	orange	the person	la personne	
		the flowers	les fleurs	
		the wheat	le blé	

green	vert	the leaves	les feuilles	

Pink are the leaves.
Pink are the clouds.
Blue is the sky.
Blue is the snow.
Yellow is the light.

Roses sont les feuilles.
Roses sont les nuages.
Bleu est le ciel.
Bleue est la neige.
Jaune est la lumière.

Pink Peach Tree, Souvenir to Mauve / Pêcher en fleur (Souvenir de Mauve)

| pink | rose | the leaves | les feuilles |
| | | the clouds | les nuages |

| blue | bleu | the sky | le ciel |
| | | the snow | la neige |

| yellow | jaune | the light | la lumière |

Green is the ceiling.	Vert est le plafond.
Green are the tables.	Vertes sont les tables.
Yellow is the floor.	Jaune est le plancher.
Yellow are the lights.	Jaunes sont les lumières.
Yellow are the chairs.	Jaunes sont les chaises.
Red are the walls.	Rouges sont les murs.

The Night Café / Le Café de nuit

green   vert

the ceiling   le plafond
the tables   les tables

yellow   jaune

the floor   le plancher
the lights   les lumières
the chairs   les chaises

red   rouge

the walls   les murs

Made in the USA
Coppell, TX
31 October 2019